Y0-BTU-573

ÖSTERREICH

Die Deutsche Bibliothek – CIP-Einheitsaufnahme

Österreich : eine Bilderreise durch die Alpenrepublik / [Text: Bill Harris. Aus dem Engl. von Rainer Zerbst]. – Stuttgart ; Zürich : Belser, 1993
Einheitssacht.: Austria <dt.>
ISBN 3-7630-2207-4
NE: Harris, Bill; Zerbst, Rainer [Übers.]; EST

Text: Bill Harris
Schutzumschlagmotive: Bildagentur Mauritius GmbH
Aus dem Englischen von Dr. Rainer Zerbst

Printed in Hong Kong
ISBN 3-7630-2207-4

ÖSTERREICH

Eine Bilderreise
durch die Alpenrepublik

Belser Verlag
STUTTGART
ZÜRICH

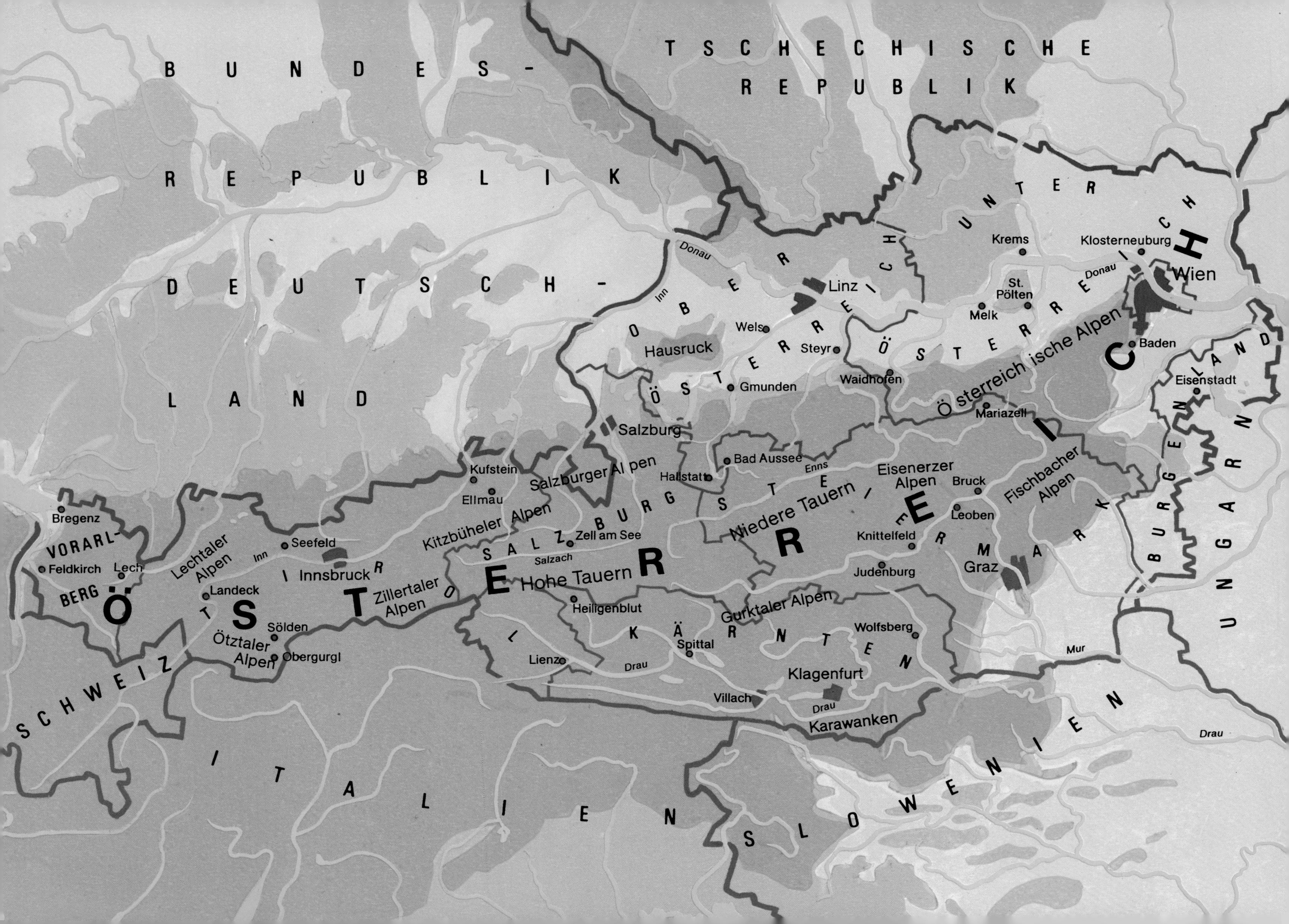

BUNDES-REPUBLIK DEUTSCHLAND
TSCHECHISCHE REPUBLIK
SCHWEIZ
ITALIEN
SLOWENIEN
UNGARN
ÖSTERREICH
VORARLBERG
TIROL
SALZBURG
OBERÖSTERREICH
NIEDERÖSTERREICH
KÄRNTEN
STEIERMARK
BURGENLAND
Bregenz
Feldkirch
Lech
Lechtaler Alpen
Landeck
Ötztaler Alpen
Sölden
Obergurgl
Inn
Seefeld
Innsbruck
Zillertaler Alpen
Kitzbüheler Alpen
Kufstein
Ellmau
Salzburger Alpen
Salzburg
Salzach
Zell am See
Hohe Tauern
Heiligenblut
Lienz
Drau
Spittal
Villach
Klagenfurt
Karawanken
Gurktaler Alpen
Wolfsberg
Judenburg
Knittelfeld
Niedere Tauern
Hallstatt
Bad Aussee
Enns
Eisenerzer Alpen
Leoben
Bruck
Graz
Fischbacher Alpen
Mur
Mariazell
Österreichische Alpen
Hausruck
Gmunden
Wels
Steyr
Waidhofen
Linz
Donau
Melk
St. Pölten
Krems
Klosterneuburg
Wien
Baden
Eisenstadt

Erste Seite: Die österreichische Staatsflagge. Mit ihrem schwarzen Wappenadler im Zentrum unterscheidet sie sich von der gewöhnlichen Nationalflagge. Außerdem haben alle neun österreichischen Bundesländer jeweils eigene Flaggen und Wappen. Vorangehende Seite: Das reizvolle Tiroler Dorf Ellmau; im Hintergrund das Kaisergebirge.

Das riesige österreichische Kaiserreich existierte fast hundert Jahre länger als das Römische Reich, und doch weiß diese ruhmreiche Geschichte nicht ständig von waffenklirrenden Armeen und Triumphzügen zu berichten. In Österreich stand die militärische Macht in der Regel nicht so sehr im Zentrum der Aufmerksamkeit, denn das Volk war viel zu sehr damit beschäftigt, zu komponieren und zu dichten, Feste zu feiern und zu tanzen, die schöne Landschaft zu genießen und sie durch Gebäude zu verschönern, die eine wahre Augenweide sind. Das soll nicht heißen, daß die Soldaten bei den Österreichern nicht in hohem Ansehen gestanden hätten, doch ließen sie sich mehr von den Uniformen, Dekorationen und dem schneidigen Auftreten dieser Soldaten faszinieren. Was ein Offizier auf dem Schlachtfeld tat, war nicht entfernt so wichtig wie die Figur, die er auf dem Tanzparkett abgab.

Die meisten Großreiche in der Weltgeschichte entstanden dadurch, daß ihre Herrscher über ihre Grenzen hinausdrängten und mit jedem Krieg führten, der versuchte, ihren Vormarsch zu stoppen. Doch als Graf Rudolf von Habsburg 1272 seine Macht auszudehnen begann, gründete er eine Dynastie, die einen besseren Weg finden sollte: Sie erweiterte ihr Territorium, indem sich ihre Mitglieder mit den richtigen Ehepartnern vermählten. Rudolfs Weg zum Ruhm verlief allerdings noch nicht nach dem Grundsatz: Liebe statt Krieg. Er war ein brillanter Soldat, der den größten Teil von Süddeutschland eroberte, ehe er König wurde und schließlich an die Spitze des Heiligen Römischen Reichs eines Karls des Großen gelangte. Und als er endlich auf dem Kaiserthron Platz genommen hatte, mußte er erst einmal seine Territorien gegen zahlreiche Konkurrenten verteidigen. Zu ihnen zählte auch König Przemysl Ottokar von Böhmen, der sich den Wechsel an der Regierungsspitze zunutze machte und seinen Anspruch auf das als Ostmark bekannte Territorium bekräftigte, dessen östliche Grenze zugleich die Grenze zwischen dem Christentum und Byzanz darstellte. Rudolf nahm die Herausforderung an, und nachdem Ottokar in der Schlacht auf dem Marchfeld bei Wien gefallen war, zog Rudolf auf der anderen Seite der Donau in Wien ein und machte sie zur Hauptstadt seines Reiches. Das blieb so bis zum Jahr 1919.

Für die Österreicher war die erste Zeit sehr hart. Sie betrachteten die deutschen Habsburger als fremde Eindringlinge, und mehr als ein Jahrhundert lang sorgten die Kämpfe darüber, wer Rudolf auf den Kaiserthron nachfolgen solle, für Unruhe. Der Tiefpunkt war erreicht, als Mitte des 15. Jahrhunderts gleich zwei Brüder erbittert gegeneinander um die Macht kämpften. Es sah bald so aus, als würde dieser Kampf dem Sieger ohnehin nur noch ein zerstörtes Land hinterlassen, doch das Schicksal wollte es anders. Einer der Brüder starb unerwartet, und 1463 wurde der zweite, Friedrich von Steiermark, zum König von Deutschland gekrönt und vom Papst zum Kaiser ernannt. Dadurch konnte er seine Titel und Ländereien später auf seine Nachkommen vererben. Sein Sohn Maximilian dehnte die habsburgischen Lehen in den Niederlanden und Burgund aus, indem er die Tochter Karls des Kühnen heiratete. Er mußte zwar das Land, das er auf diese Weise erworben hatte, bald wieder mit Waffengewalt verteidigen, gewann den Kampf aber und erweiterte sein Reich um weitere Territorien. Maximilians Sohn trat in die Fußstapfen seines Vaters und errang die Kontrolle über Spanien sowie dessen amerikanische Kolonien und die Königreiche in Italien, indem er Johanna die Wahnsinnige heiratete, die Tochter von Ferdinand und Isabella von Spanien. Der Weg in eine ruhmreiche Zukunft war vorbereitet.

Diese Zukunft jedoch wurde überschattet, denn die Türken drängten auf der Suche nach Sklaven und Schätzen die Donau aufwärts, und in Deutschland verbreitete Martin Luther Ideen, die ein halbes Jahrhundert später zur Gegenreformation führen sollten. Sie wurde von Österreich intensiv unterstützt und führte schließlich zum verheerenden Dreißigjährigen Krieg, der ganz Europa erfaßte. Nachdem er beendet war und schließlich auch die Türken besiegt waren, wandten die Habsburger ihre Aufmerksamkeit Ungarn zu. 1699 erwarben sie ein Erbrecht auf den ungarischen Thron und das ganze Territorium bis nach Transsilvanien.

Als die spanische Linie der Habsburger ausstarb, beschloß der französische König Ludwig XIV., um die Thronnachfolge in Spanien zu kämpfen, und erklärte Österreich den Krieg. Die Könige von England und Holland, die den Franzosen nicht gerade wohlgesonnen waren, traten in den Krieg ein, und nach seiner Beendigung hatten die Habsburger die südlichen Niederlande und die Königreiche von Mailand und Neapel unter ihrer Kontrolle. Das erhöhte nicht nur das Ansehen Österreichs, sondern brachte auch einen neuen kulturellen Einfluß nach Wien, denn die Belgier und Italiener ergänzten die in Wien bis dahin von den Deutschen beherrschte

Kultur durch ihre kosmopolitischen Ideen. Aber schon braute sich eine neue Krise zusammen. Kaiser Karl IV. hatte keinen männlichen Erben, und die habsburgischen Lande standen vor der Gefahr einer Teilung wie eine Generation zuvor das spanische Weltreich. Karl löste das Problem durch ein Sondergesetz, das es seiner Tochter ermöglichte, ihm auf den Thron zu folgen, und zugleich die Unteilbarkeit der Monarchie festlegte. Dieser Schritt verwandelte die habsburgischen Lande zugleich aus der bloßen Ansammlung von Territorien, die durch Heirat erworben worden waren, in ein richtiges Reich. Das gefiel den benachbarten Staaten natürlich ganz und gar nicht, und als die Tochter des Kaisers, Maria Theresia, 1740 den Thron bestieg, war sie von lauter Feinden umgeben. Sie brauchte acht Jahre, bis sie sich durchgesetzt hatte. Doch kaum waren die Kämpfe vorüber, da wurde Maria Theresia eine richtige Landesmutter. Die nächsten vierzig Jahre ihres Wirkens gehörten ihrem Volk. Sie sorgte dafür, daß in den Österreichern ein bis dahin unbekannter Patriotismus aufkeimte. Zugleich gelang es ihr, die zahlreichen Völker ihres Reiches zu einer engen Zusammenarbeit zu bringen, wie es sie bis dahin noch nie gegeben hatte. Allerdings hatte Österreich auch noch nie eine Kaiserin gehabt – sollte freilich auch nie wieder eine haben. 1793 wurde die Tochter Maria Theresias, Marie Antoinette, während der Französischen Revolution hingerichtet, und die Geschichte Europas richtete sich abermals gegen althergebrachte Traditionen.

Das Haus Habsburg aber hielt sich auch jetzt noch, obwohl absolutistische Monarchien eindeutig aus der Mode gekommen waren. Die Österreicher waren über den Tod ihrer Prinzessin so entsetzt, daß Wien geradezu zu einem Zentrum der Gegenrevolution wurde, und zu Beginn des 19. Jahrhunderts war Österreich zusammen mit Rußland und dem neu aufstrebenden Preußen die einzige Monarchie dieser Art in der ganzen Welt. Es überlebte Aufstände im eigenen Land und Revolutionen in seinen italienischen und ungarischen Gebieten. Es überlebte einen Krieg mit Dänemark und einen mit Preußen, und das österreichische Volk überlebte so manchen guten und schlechten Kaiser. Als die Revolution schließlich auch hier ausbrach, nahm sie eine Form an, wie sie nur in Österreich möglich war.

Es begann mitten im Fasching des Jahres 1848. Es war eines der prunkvollsten Karnevalstreiben, die Wien je erlebt hatte. Die Bälle waren atemberaubend, Franz Liszt spielte vor ausverkauften Häusern, und die Sängerin Jenny Lind eroberte mit ihrer herrlichen Stimme alle Herzen. Draußen auf den Straßen aber demonstrierten Studenten mit dem Ziel, „unseren Kaiser von seinen Feinden zu befreien".

Ihre Demonstrationen verhallten ungehört. Drei Wochen danach versammelten sie sich, um über ihr weiteres Vorgehen zu beraten, da erregte eine Rede ihre Gemüter, in der Reformen wie Pressefreiheit, Schöffengerichte und eine Volksvertretung gefordert wurden. Nach dieser Rede war aus den Demonstranten ein wütender Mob geworden. Gewalt brach aus, Menschen wurden erschossen. Der Aufruhr dauerte zwei Tage. Schließlich fuhr der Kaiser persönlich in einer Kutsche vor und versprach: „Ihr sollt alles bekommen, alles!"

Doch zu diesem Zeitpunkt schien alles schon verloren. In den nächsten Tagen fanden auch in Mailand, Budapest und Prag Demonstrationen gegen die Regierung statt. Der Kaiser wußte, daß er in Bedrängnis war, und während der folgenden Monate sah es ganz so aus, als ob er der letzte Habsburger sein würde. Doch in den Kulissen wartete bereits eine starke Frau: Erzherzogin Sophie von Bayern. Sie war wie besessen von dem Gedanken, ihre Familie zusammenzuhalten, und sie hatte dafür gute Gründe.

Kaiser Ferdinand zog sich von Wien nach Innsbruck zurück und beobachtete von dort aus, wie die Ungarn von seinem Reich abfielen. Er sah zu, wie Venedig sich zur unabhängigen Republik erklärte und den Tschechen bei der Bildung einer eigenen Regierung halfen. Unterdessen wartete Erzherzogin Sophie ab, bis ihre Stunde gekommen war. Sie hatte sich schon seit langem vorgenommen, eines Tages Kaiserin von Österreich, zumindest aber die Mutter eines Kaisers zu werden, und nach der Geburt ihres Sohnes Franz Josef entschied sie sich für die zweite Lösung. Die Ereignisse des Jahres 1848 boten ihr die Gelegenheit, auf die sie gewartet hatte. Rechtmäßiger Thronerbe war eigentlich der Vater ihres Sohnes, doch das war für sie das geringste Hindernis, und während Österreich sich noch fragte, ob das Kaiserreich demnächst nur noch eine Erscheinung der Vergangenheit sein würde, machte sie sich an die Arbeit, und zwar hinter den Kulissen, denn wenn die unvermeidliche Krise eintrat, dann sollte ihr Sohn nach ihrem Willen als Retter des Landes dastehen. Ihr Plan hatte Erfolg. Als Ferdinand erklärte, es sei an der Zeit, das Reich jüngeren Händen anzuvertrauen, war die Überraschung groß, als sich herausstellte, daß er damit seinen Neffen meinte. Franz Josef war zu diesem Zeitpunkt achtzehn Jahre alt. Er sollte 68 Jahre lang als Kaiser herrschen; seine Mutter sollte ihn dabei 25 Jahre an seiner Seite begleiten.

Franz Josef war ein starker Herrscher, doch während seiner Regentschaft jagte eine private Tragödie die andere. Sein Bruder Maximilian, der sich selbst zum Herrscher von Mexiko hochstilisiert hatte, wurde auf der anderen Seite der Erdkugel von einem Exekutionskommando erschossen; Franz Josefs Frau, die er liebte, aber vernachlässigte, wurde von einem Attentäter erstochen, und sein Sohn, der Kronprinz, beging Selbstmord. Schließlich fiel sein Neffe Franz Ferdinand, der neue Thronanwärter, 1914 in Sarajewo einem Attentat zum Opfer, und zwei Wochen danach unterzeichnete Franz Josef den Marschbefehl, mit dem der 1. Weltkrieg begann. Zwei Jahre später starb der Kaiser, und kurz darauf hörte das österreichische Kaiserreich auf zu existieren.

Der neue Kaiser, Karl, verzichtete auf sein Herrschaftsrecht, und Österreich wurde am 11. November 1918 eine Republik. Karl unterzeichnete gleichzeitig Verträge, die Ungarn und die Tschechoslowakei in die Unabhängigkeit entließen, trat Gebiete an Rußland und Polen ab und überließ den Serben jene Territorien, aus denen später Jugoslawien wurde. In Österreich selbst erwies sich die Erste Republik als Katastrophe. 1938 fiel das Land an die Nationalsozialisten und wurde Teil von Hitlers Deutschem Reich. Nach dem 2. Weltkrieg wurde das Land, das einmal das Herzstück eines Weltreichs gewesen war, in vier Zonen aufgeteilt, die unter der Kontrolle der Briten, Franzosen, Sowjets und Amerikaner standen. Die Besatzungszeit endete zwanzig Jahre danach, am 26. Oktober 1965. Die vier Mächte erkannten Österreich als souveränen unabhängigen Staat mit eigener Verfassung und einer demokratischen Regierung an.

Das Land, das nun entstand, unterschied sich radikal von seinem Vorläufer in der glorreichen Zeit der Habsburger. Es war auf das Gebiet reduziert, das übrigblieb, nachdem die Ansprüche der Nachbarländer befriedigt worden waren, und zu diesen Ansprüchen gehörten sowohl der Zugang zum Meer als auch große Ländereien, die schon zu Österreich gehört hatten, noch ehe es überhaupt Kaiserreich war. Das verbliebene Gebiet umfaßt ca. 560 Kilometer von West nach Ost und ca. 280 Kilometer von Nord nach Süd. Die insgesamt rund 83.000 Quadratkilometer haben mit über 2.600 Kilometern eine erstaunlich lange Grenze, an die sich sieben verschiedene Länder anschließen. Auch die ethnische Zusammensetzung Österreichs änderte sich. Im Lauf der Geschichte war das Land eine Mischung aus unterschiedlichen Kulturen und Sprachen, heute sind 98 Prozent deutschsprachig. Aber auch wenn die Deutschen und die Österreicher miteinander verwandt sind, so haben sie doch eine höchst unterschiedliche Mentalität.

Man sollte zwar keine Verallgemeinerungen über Kulturen anstellen, aber die Weltanschauung der Österreicher ist doch ungleich optimistischer als die der Deutschen. Die Musik war den Österreichern schon eine Herzensangelegenheit, ehe die Römer kamen, und der Durchschnittsösterreicher kann an einer Drehorgel ebensoviel Gefallen finden wie an der großen Oper. Das Goldene Zeitalter der Musik begann in Wien mit dem Jahr 1762, als Christoph Willibald Gluck mit seinem *Orpheus und Eurydike* auf der Opernbühne Neuland beschritt und Joseph Haydn jene musikalische Form entwickelte, der heute noch jede Symphonie folgt; dasselbe tat er für das Streichquartett und die Klaviersonate. Haydn war Dirigent des Hoforchesters der Fürsten von Esterhazy, und sein Name hatte große Geltung, als der 25jährige Wolfgang Amadeus Mozart aus seiner Heimatstadt Salzburg in Wien eintraf und der junge Mann ihn mit seinen Kompositionen eindeutig in das zweite Glied verwies. Das war nicht leicht. Zunächst bezog Mozart mit seiner *Hochzeit des Figaro* gegen den Adel Stellung, denn in dieser Oper überlistet ein Diener seinen Herrn. Dann bekam er Probleme mit seiner Oper *Così fan tutte*, deren Libretto eindeutig die eheliche Untreue duldete. Dabei spielte es keine Rolle, daß Mozart nur die Musik und nicht den Text geschrieben hatte; die Österreicher machten da keinen Unterschied. Als er ihnen aber die *Zauberflöte* zum Geschenk machte, vergaben sie ihm. Diese Oper brachte ihm zwar schließlich Erfolg, doch ansonsten war er in seinem kurzen Leben fast durchweg vom Unglück verfolgt. In seiner Musik drückt sich das allerdings kaum aus, und heute gilt Mozart als der größte Komponist Österreichs, wenn nicht gar der Welt. Dabei ist er keineswegs der einzige. 1792, ein Jahr nach Mozarts Tod, zog Ludwig van Beethoven von Bonn nach Wien, und seine Begabung als Pianist machte ihn von Anfang an zum Liebling der Wiener. Seine neuen Landsleute erkannten auch sein Genie als Komponist. Beethoven hielt von ihnen allerdings nicht sonderlich viel. Er liebte zwar die Stadt, um ihre Bürger aber buhlte er nicht. Trotzdem feierten sie ihn, während sie zur gleichen Zeit einen der ihren konsequent ignorierten. Franz Schubert, ein ehemaliges Mitglied der Wiener Sängerknaben, schrieb seine erste Symphonie mit siebzehn Jahren. In den folgenden vierzehn Jahren vertonte er mehr als 600 romantische deutsche Gedichte und schuf damit eine neue musikalische Form: das Lied. Zugleich komponierte er herrliche Messen, große Symphonien und andere Werke. Trotzdem erklangen in seiner Heimatstadt bis zu seinem Tod im Alter von 31 Jahren nur in einem einzigen Konzert Werke von ihm.

Die meisten großen Komponisten, die ihre beste Zeit in Wien verbrachten, sind so sehr Teil unserer heutigen Welt, daß ihre Musik lediglich bei den gebildeten Zuhörern sogleich Bilder von der Donaustadt heraufbeschwört. Beim Namen Strauß jedoch denkt jeder sofort an Wien, noch ehe überhaupt eine Note erklungen ist. Johann Strauß kam 1804 in Wien zur Welt. Mit fünfzehn Jahren gründete er mit Gleichaltrigen eine Musikkapelle, so wie Jugendliche von heute Popgruppen gründen. Binnen kurzem waren sie so gefragt, daß sie sich in zwei Orchester aufspalteten: das eine wurde von Strauß geleitet, das andere von dem nicht minder bekannten Joseph Lanner. Sie waren zwar befreundet, traten aber beide in einen temperamentvollen Wettbewerb um den Titel des Walzerkönigs. Der Ehrentitel fiel an Strauß, nachdem er der Musikform, die Wien berühmt machte, einen neuen Stil verliehen hatte. Lanner repräsentierte die romantische Tradition der Stadt, Strauß ergänzte sie durch die feurige Musik der Zigeuner, was seiner Musik etwas Ekstatisches verlieh, und seine Zuhörer beteten ihn dafür an. Als der Walzerkönig starb, fiel der Purpur an seinen Sohn, der nach Meinung vieler seinen Vater noch übertraf. Er war gerade erst Mitte zwanzig, da arbeiteten bereits mehr als 300 Musiker für ihn. Er selbst dirigerte ein halbes Dutzend Orchester und hatte doch noch Zeit, mehr als 160 Walzer zu komponieren. Keiner gleicht dem anderen, und der bekannteste von allen, *An der schönen blauen Donau,* wurde die inoffizielle Nationalhymne Österreichs – ein hohes Lob, wenn man bedenkt, daß die offizielle von Mozart stammt.

Der Walzer tauchte an den Gestaden der Donau erstmals in den 70er Jahren des 18. Jahrhunderts auf. Damals galt er in einigen Kreisen der Gesellschaft als skandalös, weil die Tänzer und Tänzerinnen sich doch tatsächlich gegenseitig beim Tanz berührten. Andere fanden ihn gefährlich wegen der Geschwindigkeit, mit der man tanzen mußte, um mit der Musik Schritt halten zu können. Vielerorts wurde er verboten, doch die Wiener, die schon von jeher gern getanzt haben, mochten ihn von Anfang an. Ihre Begeisterung für den Walzer steckte an, und innerhalb weniger Jahre war die Zeit des Menuetts in den europäischen Hauptstädten vorüber. Für den neuen Tanz brauchte man neue Räumlichkeiten, und die erfinderischen Österreicher schufen sie in Form riesiger Tanzsäle, die genügend Raum für die ausladenden Drehbewegungen boten, die der Walzer erforderte. Es waren die Vorläufer der heutigen Diskotheken, üppig ausgestattet mit Spiegeln und Kronleuchtern und mit Tanzböden, die auf Hochglanz poliert waren, damit die Tanzschritte noch mehr dahinglitten, so daß sie eher Eisstadien denn Tanzsälen glichen. In dem größten dieser Tanzsäle hatten 5.000 Tänzer Platz, und er war jede Nacht ausverkauft. Der runde Tanzsaal war umgeben von Spiegeln, die bis zu der üppig mit Szenen aus der griechischen Mythologie bemalten Decke reichten. Rund um den Saal befanden sich Nischen in den Wänden, die mit farbigem Glas verkleidet waren und von innen her beleuchtet wurden. Außerdem gab es noch Räume, in die sich die Tänzer zum Atemholen zurückziehen konnten, darunter ein Dutzend kleiner intimer Speisesalons und eine Grotte, wo in einem Ambiente, das jeden an den geliebten Wienerwald erinnerte, der Nachmittagskaffee gereicht wurde. Und das war nur einer von Dutzenden vergleichbarer Tanzsäle. Außerdem fanden gleichzeitig überall Bälle statt: am Kaiserhof, bei den Botschaften, in den Militärquartieren, sogar in den Häusern der Mittelklasse. Die Kostümbälle, sehr wahrscheinlich die funkelndsten, die es je gegeben hat, folgten alle demselben Muster: Es begann mit einem üppigen Buffet. Die Musik eröffnete mit einigen Polonaisen, meistens von Chopin, gefolgt von einer Quadrille. Das war ein bewußt gestalteter Auftakt zum Walzer, vergleichbar dem Aufwärmen der Sportler vor dem Kampf. Wenn dann das Orchester die neueste Strauß-Kreation spielte, waren alle auf den Beinen, und die herrliche, rasante Bewegung dauerte bis zum Sonnenaufgang.

Johann Strauß Sohn behauptete oft, seine Musik entzücke die Wiener nicht, weil sie etwas Gutes in der Welt repräsentiere, sondern weil sie die Menschen „trotz allem" glücklich mache. Er spielte damit auf die Neigung der Österreicher an, auch dann noch zu murren, wenn es ihnen gut geht, und in dem Leitmotiv seiner herrlichen Operette *Die Fledermaus* fing er die Mentalität dieses Volkes ein: „Glücklich ist, wer vergißt, was nicht mehr zu ändern ist."

Register

Gegenüberliegende Seite: Die Bergkirche von Eisenstadt, der Hauptstadt des Burgenlandes. In dieses herrliche Bauwerk wurden 1820 die sterblichen Überreste von Josef Haydn überführt.

Wien (auf diesen Seiten) ist reich an attraktiven, eleganten Gebäuden in den verschiedensten Baustilen. Dazu gehören das Burgtheater (links unten) sowie die Staatsoper (links) im Renaissancestil und das Parlament im neohellenistischen Stil (links oben). Diese prunkvolle Stadt beherbergt außerdem die Schlösser Schönbrunn (oben und gegenüberliegende Seite oben) und Belvedere (unten und gegenüberliegende Seite unten) mit ihren herrlichen Gärten. Sie zählen zu den schönsten Schlössern Europas.

JOHANNES BRAHMS

Wien ist weltweit vor allem für die Rolle bekannt, die es in der Geschichte der klassischen Musik gespielt hat. In dieser Musikstadt kamen Franz Schubert und Johann Strauß zur Welt; außerdem lebten hier Beethoven, Haydn, Brahms und zahlreiche andere große Komponisten. Zu den Tributen an diese berühmten Männer zählen das Lanner-Strauß- (unten) und das Brahms-Denkmal (gegenüberliegende Seite unten) sowie das Pasqualatihaus (gegenüberliegende Seite oben), das ehemalige Wohnhaus Beethovens.

Gegenüberliegende Seite: Wien verfügt über zahlreiche Attraktionen, vom Riesenrad (ganz oben) im Prater bis zu den Bootsfahrten auf dem Donaukanal (unten). Der Stephansdom (oben), die Straßencafés auf der eleganten Kärntnerstraße (rechts oben) und das Kunsthistorische Museum (rechts unten) am Maria-Theresien-Platz sind ebenfalls Anziehungspunkte für Touristen. Ähnlich populär sind das Kutschenmuseum in der Wagenburg (rechts) und die Dressurvorführungen in der Spanischen Hofreitschule (unten).

Dieser fast magisch wirkende Anblick des schneebedeckten Stephansdoms und seiner Umgebung (unten) zeigt, daß Wien bei Nacht ebenso reizvoll ist wie bei Tag. Das charakteristische Profil des Stephansdoms und der hell erleuchteten Kuppel der Karlskirche beherrschen die Skyline. Gegenüberliegende Seite: Üppig verzierte Straßenlampen hüllen den Rathausplatz in einladendes Licht und bilden einen reizvollen Kontrast zu den hoch aufragenden Türmen des herrlichen Stephansdoms, des Wiener Wahrzeichens.

Niederösterreich (auf diesen Seiten), das größte Bundesland Österreichs, ist ein landschaftlich besonders reizvolles Gebiet mit Tälern, die sich durch die Landschaft schlängeln, und malerischen kleinen Dörfern. Die Hauptstadt Krems (unten) ist die älteste Stadt dieses Bundeslandes mit einer großen Vergangenheit und zugleich ein bedeutendes Zentrum der Weinindustrie. Gegenüberliegende Seite: Zwei weitere herrliche Städte dieses Bundeslandes sind Klosterneuburg (oben), dessen Anblick von den beiden Türmen der Augustinerabtei beherrscht wird, und das malerische Waidhofen (unten) an der Ybbs.

Mit der majestätischen Donau und ihren Nebenflüssen, den sonnigen Hängen (links unten) und seinem fruchtbaren Boden bietet Niederösterreich (auf diesen Seiten) ideale Bedingungen für den Weinanbau (unten). Vor allem in der herrlichen Wachau im Donautal zwischen Krems und Melk finden häufig Weinproben und Volksfeste statt (links Mitte). Links: Weißenkirchen hinter den Weinbergen ist einer der zahlreichen hübschen Marktflecken, die man überall in der Wachau antrifft.

Die prunkvollste Barockarchitektur findet sich in Niederösterreich in den Benediktinerabteien von Melk (links oben und gegenüberliegende Seite unten) und Altenburg (gegenüberliegende Seite oben). Verglichen damit wirken die Fassaden von Schloß Niederweiden (links) und den farbenprächtigen Häusern im alten Krems (oben) eher zurückhaltend. Links unten: Die Weinberge bei Spitz und (unten) ein Weinberg im alten Reitz – Beispiele für die blühende Weinindustrie dieser Region.

APOTHEKE

In günstiger Lage zwischen Wien und Salzburg befindet sich das eindrucksvolle Linz (unten), die drittgrößte Stadt Österreichs, Hauptstadt von Oberösterreich. Einen Teil dieses herrlichen Bundeslandes bildet das Salzkammergut, das wegen seiner zahlreichen Seen und idyllischen Städte an den Ufern zu Füßen der Berge bekannt ist. Zu ihnen zählen St. Wolfgang (links), Gmunden mit seinem malerischen Schloß Ort (links unten) und Hallstatt (umseitig). Links Mitte: Donauschleife.

Die Steiermark (auf diesen Seiten) hat Bewohnern wie Besuchern gleichermaßen viel zu bieten. Sie ist bekannt für die herrlichen Wanderwege in gebirgiger Landschaft (unten), weltweit berühmt aber auch durch die weißen Pferde (links), die im Lipizzanergestüt in Piber gezüchtet werden. Zu den vielen malerischen Städten dieses Bundeslandes zählen Mariazell (links oben), Bad Aussee (oben) und Oberwölz (gegenüberliegende Seite oben) sowie die Großstadt Graz (links unten und gegenüberliegende Seite unten).

850 JAHRE GRAZ

Am Südende des engen Murtals in der Steiermark liegt Graz, die zweitgrößte Stadt Österreichs und Hauptstadt der Steiermark. Graz ist eine hervorragende Universitätsstadt und ein Industriezentrum. Zu den zahlreichen eindrucksvollen Bauwerken gehört das grandiose Rathaus (gegenüberliegende Seite unten) mit seinen reich verzierten Innenräumen (gegenüberliegende Seite oben). Nördlich von Graz liegt Rein mit seiner großen Attraktion, der Zisterzienserabtei mit ihren üppigen Ornamenten (unten).

NORAVIA

Das reizvolle Salzburg (unten), Hauptstadt des gleichnamigen Bundeslandes, erstreckt sich zu Füßen dreier bewaldeter Hügel am Ufer der Salzach. Außer der herrlichen Umgebung hat die Stadt noch das Schloß Mirabell und den lieblichen Mirabellgarten (links unten) aus dem 19. Jahrhundert mit Spazierwegen, Skulpturen und einem großen Springbrunnen zu bieten. Links Mitte: Die imposante Festung Hohensalzburg hoch über der Stadt sowie (links) ein Schloß in Anif südlich von Salzburg.

Die Ostalpen nehmen fast zwei Drittel von ganz Österreich ein. Das ganze Jahr über ziehen sie zahlreiche Sportler und Naturfreunde an. Gegenüberliegende Seite: Die Gipfel der Bischofsmütze (oben) oberhalb des Dorfes Filzmoos und des Wiesbachhorns (unten), von der Großglocknerstraße aus gesehen. Unten: Die gewaltige Bergkette des Tennengebirges, eine Herausforderung für zahlreiche ehrgeizige Bergsteiger. Umseitig: Eine Trachtenkapelle aus den Alpen, im Hintergrund der imposante Hochkönig.

Herrliche Aussichten und gefährliche Haarnadelkurven lassen eine Reise auf der Großglocknerstraße (auf diesen Seiten) zu einem denkwürdigen Erlebnis werden. Sie ist eine der höchsten Gebirgsstraßen der Welt und erstreckt sich rund 80 Kilometer lang von Zell am See bis nach Heiligenblut (umseitig), einem Bergsteigerzentrum unter dem höchsten Gipfel Österreichs, dem mächtigen Großglockner. Links Mitte: Die Franz-Josefs-Höhe, einer der schönsten Aussichtspunkte der Straße mit einem faszinierenden Blick über die Berge.

CAFE RESTAURANT

Mitten im Herzen der Alpen liegt Tirol (auf diesen Seiten), ein Wunderland mit schneebedeckten Bergen und dichtbewaldeten Hängen: Jochberg (links unten), Going (oben), Kufstein (gegenüberliegende Seite unten) und Ellmau (umseitig) in herrlicher Lage im Inntal, das sich über 150 Kilometer lang durch dieses Bundesland erstreckt. Zu den beliebtesten Freizeitaktivitäten in Tirol zählen das Skifahren in malerischen Gegenden wie dem Oberen Zillertal (links), Bergsteigen, Radfahren und Schlittenfahren (unten).

Eine ganz andere Seite zeigt Tirol in den Sommermonaten, wenn weite grüne Wiesen, reiche Ernten und unzählige bunte Blumen an die Stelle der weißen winterlichen Schneedecke treten. Wie fruchtbar diese Alpentäler sind, zeigt sich vor allem in der Gegend um Wiesen (gegenüberliegende Seite oben und unten), im Kaunertal (gegenüberliegende Seite unten) und bei Zirl (umseitig). Die grünen Hänge bilden einen krassen Gegensatz zu den Gipfeln der Nordkette im Hintergrund.

Innsbruck, die Hauptstadt von Tirol (unten), liegt am rechten Ufer des Inn unterhalb der gewaltigen Felsklippen der Nordkette. Eine der eleganten Durchgangsstraßen ist die Maria-Theresien-Straße (rechts), das wichtigste Einkaufsgebiet der Stadt, die zur Altstadt führt. Die Altstadt mit ihrem ganz eigenen farbenprächtigen Gepräge ist berühmt wegen ihrer herrlichen Hofburg (rechts unten) und der autofreien Herzog-Friedrich-Straße (rechts Mitte) mit dem berühmten Goldenen Dacherl an ihrem Nordende.

TAXI

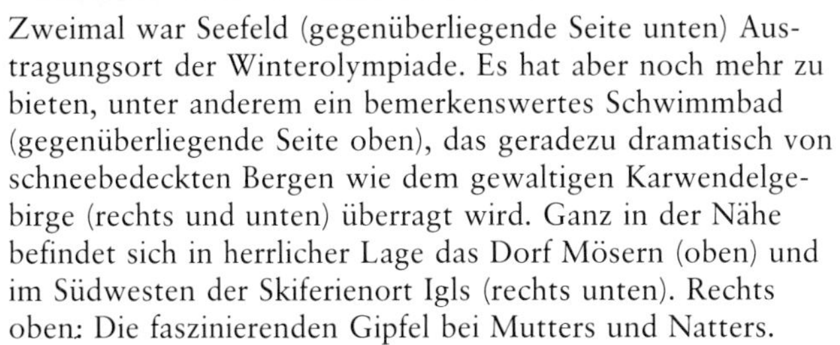

Zweimal war Seefeld (gegenüberliegende Seite unten) Austragungsort der Winterolympiade. Es hat aber noch mehr zu bieten, unter anderem ein bemerkenswertes Schwimmbad (gegenüberliegende Seite oben), das geradezu dramatisch von schneebedeckten Bergen wie dem gewaltigen Karwendelgebirge (rechts und unten) überragt wird. Ganz in der Nähe befindet sich in herrlicher Lage das Dorf Mösern (oben) und im Südwesten der Skiferienort Igls (rechts unten). Rechts oben: Die faszinierenden Gipfel bei Mutters und Natters.

Gegenüberliegende Seite: Tirol ist berühmt für seine zauberhaften Dörfer und grandiosen Berge wie den Massereith (oben) und den beeindruckenden Biberkopf (unten). Unten: Imst, ein Marktflecken, der ganz von der Dorfkirche mit ihrem hohen Turm beherrscht wird. Umseitig: Die Zisterzienserabtei von Stams im oberen Inntal wurde im 13. Jahrhundert gegründet, im 17. Jahrhundert im barokken Stil neu aufgebaut, und in den 60er Jahren unseres Jahrhunderts restauriert.

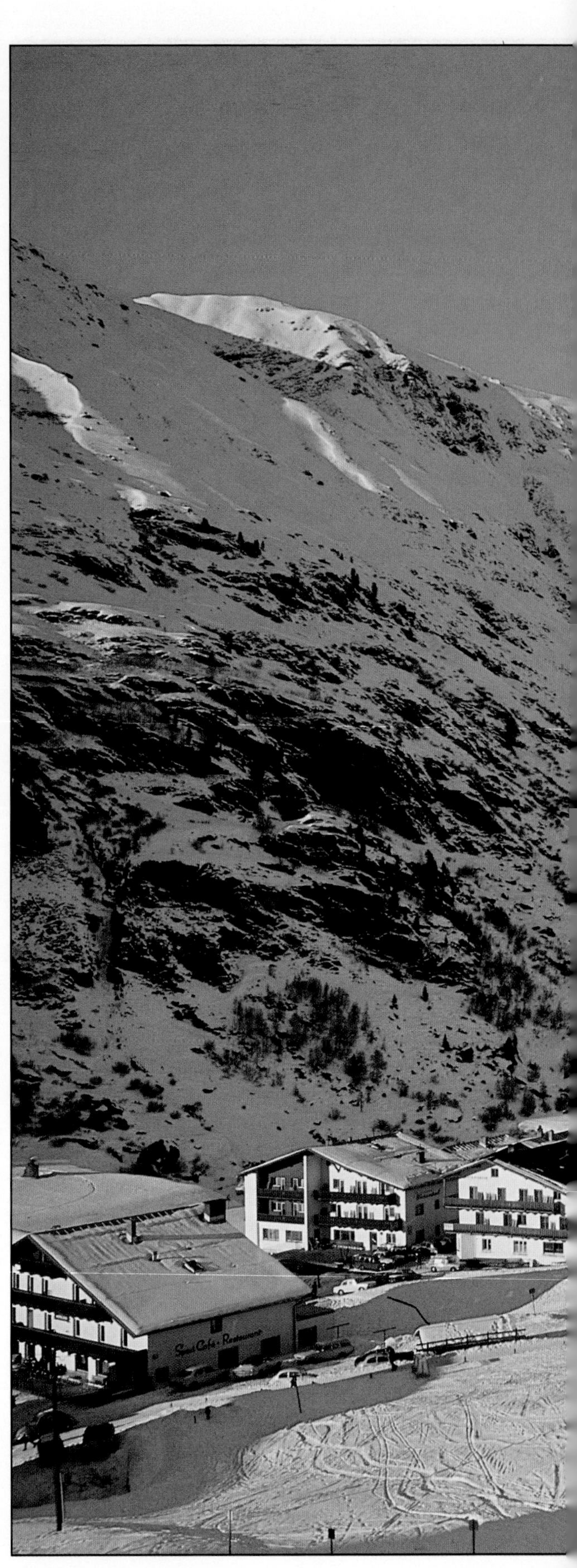
Restaurant

Das Ötztal (auf diesen Seiten) zweigt vom Inntal ab und folgt dem Lauf der Ötztaler Ache. Hier befinden sich zahlreiche Sommer- und Winterferienorte, von denen einer der höchsten das Skizentrum Obergurgl ist (unten). Etwas tiefer liegen Hochsölden (links Mitte) und das benachbarte Sölden (links und links unten).

HOTEL KRONE

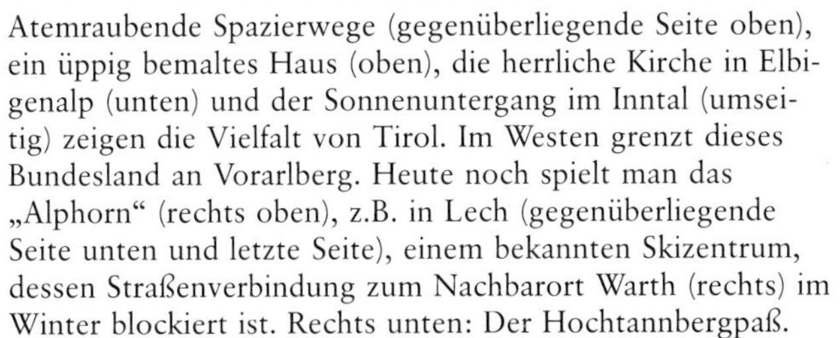

Atemraubende Spazierwege (gegenüberliegende Seite oben), ein üppig bemaltes Haus (oben), die herrliche Kirche in Elbigenalp (unten) und der Sonnenuntergang im Inntal (umseitig) zeigen die Vielfalt von Tirol. Im Westen grenzt dieses Bundesland an Vorarlberg. Heute noch spielt man das „Alphorn" (rechts oben), z.B. in Lech (gegenüberliegende Seite unten und letzte Seite), einem bekannten Skizentrum, dessen Straßenverbindung zum Nachbarort Warth (rechts) im Winter blockiert ist. Rechts unten: Der Hochtannbergpaß.